मेरीलुईज़ रिट्टर
लैनर्ड रिट्टर
लिओन पीसोवौकी

Marieluise Ritter
Leonard Ritter
Leon Piesowocki

Magi Publications. London

मॅमी की
हड़ताल

Mum's Strike

हमारे घर में शनिवार को ख़ास कुछ नहीं होता । उस दिन हमें अपना कमरा ठीक–ठाक करना पड़ता है । उसमें हमेशा ऐसा गड़बड़ घोटाला रहता है कि सारा दिन उसी में निकल जाता है ।
घर में साढे चार व्यक्ति रहते हैं । मैं सबसे महत्वपूर्ण हूँ । मेरा नाम है फ़्रॉग ।

Saturday isn't much of a day in our house. It's the day we have to tidy our room. It's always such a mess that it takes all day. There are four and a half people in our house. I'm the most important. My name is Frog.

मैं अपनी मॅमी तथा छोटे भाई और बहिन यानि फ़्ली और पिगलैट के साथ (जो कि राजकुमारी पिगटेल का छोटा रूप है) रहता हूँ । वैसे हमारे असली दूसरे नाम भी हैं पर मॅमी उन्हें तभी इस्तेमाल करती हैं जब वे हमारे से बहुत नाराज़ होती हैं ।

I live with Mum and my little brother and sister, Flea and Piglet (short for Princess Pigtail). We do have real names, but Mum only uses them when she gets really cross.

आधा व्यक्ति डैड हैं । वे अब यहां नहीं रहते क्यों कि मॅमी का कहना है कि उन्हें एक ५० वर्षीय मूंछोंवाले बच्चे की ज़रूरत नहीं है । पर यह कहानी उनके बारे में न होकर, हमारे कमरे के बारे में है । रविवार से लेकर शुक्रवार तक हमारे कमरे में साफ़ जगह सिर्फ़ एक रास्ता भर होती हैं । मॅमी ही इसे रात के समय इस्तेमाल करती हैं जब वे हमें प्यार से चूमने आती हैं ।

The half person is Dad. He doesn't live here now, because Mum said she doesn't need a fifty year old baby with a moustache.

But this story isn't about him, it's about our room. From Sunday to Friday, the only clear space in our room is a path. Mum uses it to come and give us a goodnight kiss.

हर शनिवार सवेरे मॅमी चिल्लाती हैं, ''अब कमरे ठीक–ठाक करने का समय आ गया है!'' दर–असल वह ख़ूब गरज कर कहती हैं । उनकी आवाज़ घर भर में सुनाई पड़ती है । शनिवार को फ़्ली, पिगलैट और मैं घंटों तक बिना झगड़ा किये खेलते रहते हैं, सो ऐसे लगता है जैसे हम सफ़ाई कर रहे हों । जब मॅमी के आने की आहट सुनाई पड़ती है, हम भाग कर काग़ज़ों के टुकड़े और खिलौने उठाने लग जाते हैं । मॅमी मुस्कराने लगती हैं, जैसे उन्हें किसी चमत्कार की उमीद बंध गई हो ।

Every Saturday morning, Mum cries, "It's time to tidy your room!" Actually, she roars. You can hear her all over the house. On Saturdays, Flea, Piglet and I play for hours without quarrelling, so it sounds like we're clearing up. When we hear Mum coming, we scamper about picking up bits of paper and toys. Mum smiles and hopes for miracles.

कुछ दिन पहले एक बहुत बुरी बात हुई । पिछले शनिवार नाश्ते के बाद मॅमी सहसा बोल उठीं, ''मैं तो ख़रीदारी के लिये बाज़ार जा रही हूँ, मेरे लौटने तक अगर तुम्हारा कमरा सचमुच ठीक–ठाक हो गया, तो आज दोपहर बाद तुम्हें ख़ास चीज़ दूंगी ।''
यिप्पी!
जब मॅमी लौटकर आईं तो कमरे में सब कुछ तरतीब से सजा पड़ा था । वे बहुत खुश हुईं । उन्होंने हमें गुसलखाने में खेलने की इजाज़त भी दे दी ।

A few days ago, a terrible thing happened.
After breakfast last Saturday, Mum said, "I'm going shopping now. If your room is really tidy when I get back, we'll have extra treats this afternoon."
Yippee!
Everything was spick and span when Mum got back. She was very pleased. She even let us play in the bath.

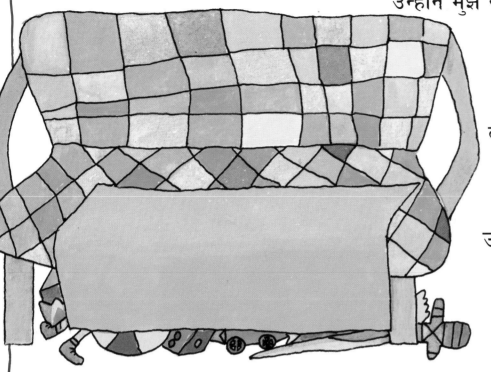

रात को जब मॅमी हमें चूम कर सुलाने के लिये आईं, मैं तब भी गुसलखाने में ही पड़ा था । उन्होंने मुझे आवाज़ लगाई पर मैं सुन नहीं पाया । उन्होंने मुझे सोफ़े के नीचे ढूंढने की कोशिश की, पर वहा मेरी बजाय हमारा गड़बड़ घोटाला देखने को मिला । मैं लपक कर बिस्तर में जा पहुंचा । ''मैं तुम्हें अपना मज़ाक उड़ाने नहीं दूंगी,'' मॅमी ने बड़ी दृढ़ता से कहा । ''मैं कल से हड़ताल पर जा रही हूँ ।'' – कहा तो खूब टिकी आवाज़ में था, पर जाते हुए उन्होंने दरवाज़ा ज़ोर से पटक दिया। तब हमें आभास हुआ कि उनका सही मतलब क्या था ।

When Mum came to kiss us goodnight, I was still in the bath.
She called me, but I didn't hear.
She looked for me under the couch, but instead of me, she discovered our mess! I never jumped into bed so fast!
"I won't let you make fun of me," said Mum firmly, "I'm going on strike tomorrow." She spoke very calmly, but then she slammed our door. Then we knew that she meant it.

अगले दिन सवेरे, हमें उमीद थी कि मॅमी सब कुछ भूल गई होंगी । पर हमने देखा रसोई ख़ाली पड़ी थी । नाश्ता तैयार नहीं हुआ था । फ़्ली बोला, ''सब तुम्हारा कुसूर है । कूड़ा छिपा देने का सुझाव तुम्हारा ही था ।''

हाँ, निश्चित रूप से कुसूर तुम्हारा है!'' पिगलैट चिल्लायी ।

''तुम्हारे लिये वैसा करना ज़रूरी तो नहीं था,'' जीभ निकाल कर चिढ़ाते हुए मैंने कहा ।

Next morning, we hoped she'd forgotten about it. But the kitchen was deserted and there wasn't any breakfast.
"It's all your fault, Froggie!" howled Flea. "It was your idea to hide the rubbish!"
"Yes, it's your fault!" screamed Piglet.
"You didn't have to do it," I shouted, sticking my tongue out.

बातें बनाने के लिये पिगलैट तत्काल ऊपर भाग गयी । पर मॅमी के कमरे का दरवाज़ा बन्द था । उन्होंने कहा, ''आपस में खुद ही फ़ैसला करो, मैं तो हड़ताल पर हूँ!''

फ़्ली भी पिगलैट के पीछे–पीछे भागा आया । मैं फ़्ली के पीछे हो लिया ।

''मॅमी, मेरी तबीयत ठीक नहीं,'' मैंने कहा । ''मेरा शरीर तप रहा है, चक्कर आ रहे हैं ।''

''बहाने मत करो!'' बन्द दरवाज़े के भीतर से मॅमी ने कहा ।

बस तभी हमें भी गुस्सा आ गया । हमने सोचा कि अब दिखाकर रहेंगे कि हम मॅमी बिना भी कैसे गुज़ारा कर सकते हैं!

''सिर्फ़ मॅमी ही तो नाश्ता नहीं बना सकती,'' डींग मारते हुए मैंने कहा ।

Piglet rushed upstairs to tell tales, but Mum's door was locked. "Sort it out yourselves," she shouted, "I'm on strike!" Flea rushed after Piglet, and I rushed after Flea. "Mummy, I'm not feeling well," I gasped, "I feel all hot and dizzy!" "Stop pretending!" replied Mum through the locked door. Then we got cross. We'd show her we could do without her! "Mum's not the only one who can make breakfast," I boasted.

रसोई में नाश्ता तैयार करने में खूब मज़ा आया । सिर्फ़ थोड़ा सा दलिया और दूध गिरा था । फ़्ली गले लगना चाहता था और मुझे बार बार 'मॅमी', 'मॅमी' कहकर बुला रहा था । फिर हमने सारे घर में खेलना–कूदना शुरू कर दिया । पर मॅमी ने हम पर कोई कान नहीं दिया । उसने अपने आपको अपने कमरे में ही बन्द रखा ।

We had a great time making breakfast in the kitchen. We only split a little bit of cereal and milk. Flea wanted a cuddle, and kept calling me "Mummy". Then we started playing games all over the house. But Mum took no notice and stayed put in her room.

दोपहर के भोजन के लिये हमने टोस्ट बनाये । पिगलैट बोली, ''मैंने बहुत खा लिया है । अब मैं ज़रा सुस्ताने जा रही हूँ ।''
''मुझे भी नीन्द आ रही है,'' उसके पीछे पीछे ऊपर जाते हुए फ़्ली बोला ।
''तुम लोग मॅमी को खुश करने की कोशिश कर रहे हो,'' उन पर ज़ोर से चिल्लाते हुए मैंने कहा । मैंने भी सोने की कोशिश की, पर सो नहीं सका ।
सो, मैंने रसोई में सफ़ाई शुरू कर दी । दालिया बुरी तरह मेज़ से चिपक गया था । मॅमी अभी तक हड़ताल पर थीं ।

For lunch, we had toast.
Then Piglet said, "I've had enough to eat. I'm going to have a nap."
"I'm sleepy too," said Flea, following her upstairs.
"You're just trying to please Mum," I yelled after them.
I tried to sleep too, but I couldn't.
So I tried to clean up the mess in the kitchen. But the cereal was completely stuck to the table.
Mum was still on strike.

रात के खाने के समय हमने एक बार फिर टोस्ट खाये । पर अब तक हम टोस्ट खाते–खाते तंग आ चुके थे ।
फिर हम बिस्तरों में जा घुसे । मैंने कहानी पढ़कर सुनाई, पर फ़्ली और पिगलैट दोनों कहानी पूरी होने से पहले ही सो गये ।

For supper, we had toast again. We were sick of toast by then!
We put ourselves to bed. I read the bedtime story, but Flea and Piglet
fell asleep before the end.

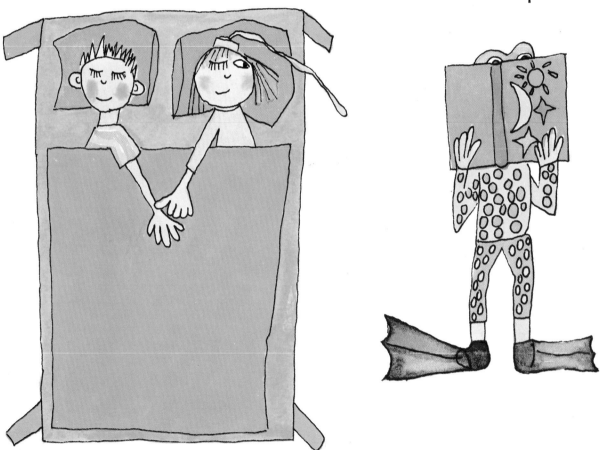

"हे ईश्वर, कल मॅमी को हड़ताल छोड़ने के लिये कह देना," मैंने कहा ।
और फिर सिसकते हुए सोफ़े के नीचे भी सफ़ाई कर डाली ।

"Dear God," I said, "please make Mum unstrike herself tomorrow."
Then I tidied up under the couch, sobbing my heart out.

अगले दिन हम बेहद खुश थे । घर अण्डों और बेक्ड बीन्स . . . और टोस्टों की खुश्बू से भरा पड़ा था । रसोई से मॅमी की गुनगुनाहट हम सुन सकते थे । उसने हमें अपनी बाहों में लपेट लिया, और हमने उन्हें चूम लिया । हमने झूठ न बोलने का वायदा किया और उन्होंने फिर हड़ताल न करने की तसल्ली दी । नाश्ते के बाद हमने बिना कहे सफ़ाई कर दी ।

Next morning, we were so happy! The house was full of the lovely smell of eggs and baked beans and ... toast! We could hear Mum humming in the kitchen. She cuddled us and we kissed her. We promised not to tell fibs again, and she promised not to go on strike. Then we cleared up after breakfast without even being asked.

अब मैं अपना कूड़ा—करकट छिपाने के लिये किसी और जगह की तलाश में हूँ ।
सोफ़े के नीचे तो अब कूड़ा डाल नहीं सकते । क्या आप कोई और
जगह सुझा सकते हैं?

Now I'm trying to think of somewhere else to hide our rubbish.
We can't put it under the couch again!
Can you think of anywhere?

Published in 1988 by Magi Publications,
in association with Star Books International, 55 Crowland Avenue, Hayes, Middx UB3 4JP, U.K.

©Nashorn Verlag, 1988

© English version (amended and abbreviated), Magi Publications 1988

©Hindi Translation, Magi Publications, 1988

Translated into Hindi by Gopal Bhanot

Printed and bound in West Germany

ISBN 1 870271 39 4